D1515370

WEST NIPISSING PUBLIC LIBRARY
WNP008648

LE MONDE MERVEILLEUX DES ANIMAUX

LE BISON

Laima Dingwall

Grolier Limitée
MONTRÉAL

EN BREF

Classification du Bison nord-américain

Classe: *Mammifères*
Ordre: *Artiodactyles* (animaux munis de sabots)
Famille: *Bovidés*
Genre: *Bison*
Espèce: *Bison bison*

Aire de répartition. Uniquement l'Amérique du Nord. Une espèce très proche, le *Bison bonasus*, se trouve en Pologne.

Habitat. Les prairies ou les régions boisées ou montagneuses.

Caractéristiques physiques. Poils rudes et grossiers autour de la tête et du cou formant une barbe sous la mâchoire inférieure; bosse à la hauteur des épaules; cornes courtes et recourbées.

Mode de vie. Troupeaux nomades, formés de groupes ayant à leur tête un bison mâle et plus âgé; effectue des migrations saisonnières; agile, rapide, bon nageur.

Régime alimentaire. Principalement des herbes, mais aussi des lichens, des vesces, des prêles et des baies.

Ouvrage pour la jeunesse recommandé par le Cercle des Jeunes Naturalistes du Québec.

Données de catalogage avant publication (Canada)

Dingwall, Laima, 1953 -
Le bison

(Je découvre—le monde merveilleux des animaux)
Traduction de: Bison.
Comprend un index.
ISBN 0-7172-1961-5

1. Bisons—Ouvrages pour la jeunesse.
I. Titre. II. Collection.

QL737.U53D5614 1986a j599.73'58 C85-099977-4

Dépôt légal, 1er trimestre 1986
Bibliothèque nationale du Québec

Table des matières

L'heure de la récréation Page 7
Une rencontre familiale Page 8
Un bison par ci, un bison par là Page 11
Gros, plus gros, le plus gros Page 11
Une fourrure épaisse et hirsute Page 12
La vue, l'odorat et l'ouïe Page 15
De l'utilité d'avoir des cornes Page 16
Un massage relaxant. . . Page 19
Le bout de la queue Page 20
Aussi bien sur terre que dans l'eau Page 20
En déplacement Page 22
On déjeune ensemble? Page 25
Un museau chasse-neige Page 27
Chez eux dans les plaines Page 29
Le retour du bison Page 30
La liste des ennemis Page 33
Plus on est de fous, plus on rit Page 34
Stampede Page 37
La saison des amours Page 38
La naissance Page 41
La mère et le petit Page 43
De grands bébés Page 44
Joyeux anniversaire Page 46
Glossaire Page 47

Faites la connaissance de l'animal le plus magnifique d'Amérique du Nord: le très imposant bison.

Le bison est le plus gros animal terrestre vivant sur ce continent. Il évoque l'Ouest américain au même titre que Jesse James et Buffalo Bill. Il existe même une vieille chanson qui commence ainsi: «Je voudrais vivre là où erre le bison», c'est-à-dire dans les plaines.

On rencontre surtout des bisons dans les plaines et les prairies.

L'heure de la récréation

Les jeunes bisons adorent jouer. Ils lancent en arrière leurs membres postérieurs et se poursuivent en bondissant à travers champs ou simulent de se battre en se donnant des coups de tête et en se bousculant. Quelquefois même, un jeune bison fait semblant de lutter contre une branche d'arbre souple. Il pousse celle-ci d'un coup de tête et recommence dès qu'elle se rabat sur lui.

Chez les jeunes bisons, le jeu a un côté sérieux. C'est en gambadant comme ils le font qu'ils renforcent leurs muscles et qu'ils acquièrent les techniques dont ils auront besoin pour se défendre et pour faire partie de la harde.

Ces jumeaux sont prudents: ils ne s'éloignent pas de leur mère.

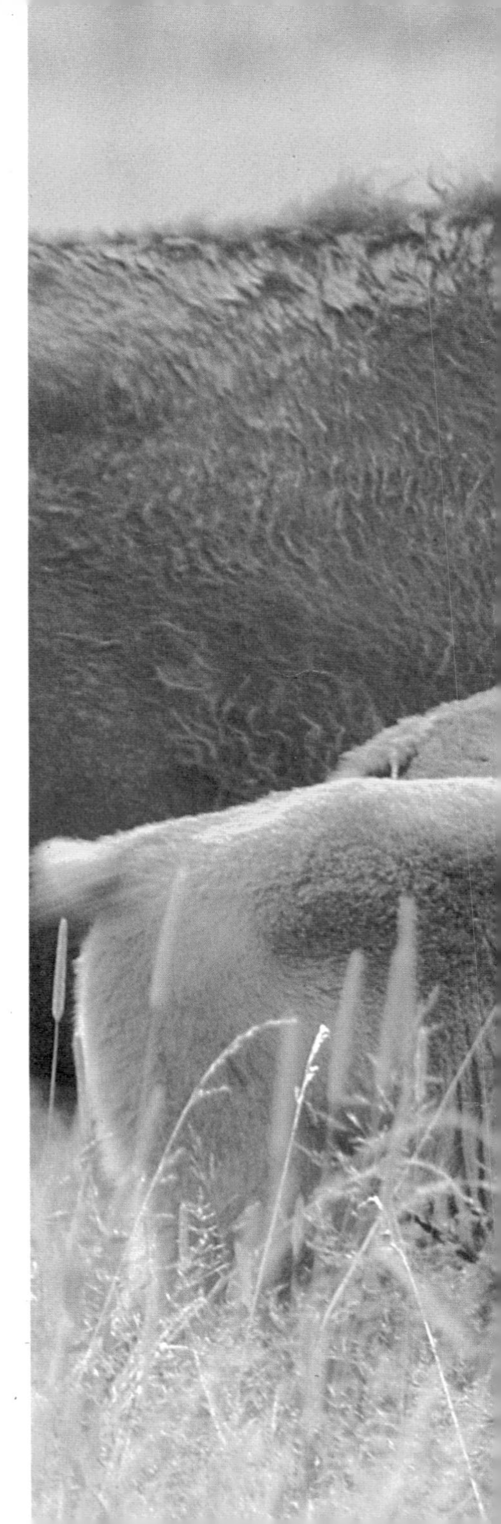

Une rencontre familiale

Si le bison réunissait tous les membres nord-américains de sa famille, qui donc inviterait-il? Ses cousins, bien entendu: la chèvre des montagnes, le bœuf musqué, le mouflon d'Amérique du Nord et le mouflon de Dall.

Tous ces animaux ont des traits communs. Ce sont tous des ruminants. Ceci signifie qu'ils ne mastiquent pas leur nourriture au moment où ils la mangent mais plus tard, lorsqu'ils ont le temps. Ils ont aussi des sabots fendus et des cornes. Et aucun n'a de dents sur le devant de la mâchoire supérieure.

On appelle souvent à tort le bison, buffle. Le buffle, que l'on rencontre en Afrique et en Asie, n'a aucun lien de parenté avec le bison. Deux traits physiques les différencient: le dos du buffle n'est pas surmonté d'une énorme bosse comme celui du bison; et le buffle a 13 paires de côtes alors que le bison en a 14.

Bien que le bison soit énorme en comparaison de la vache, il mange deux fois moins qu'elle.

Un bison par ci, un bison par là

En Amérique du Nord, il existe deux espèces de bisons: le bison d'Athabaska et le bison d'Amérique. Il est facile de les distinguer. Le bison d'Athabaska est plus gros et son pelage est beaucoup plus foncé et laineux que celui de son cousin. Il vit dans les régions boisées. Celles-ci sont presque toutes situées au nord des plaines où l'on rencontre le bison d'Amérique.

Gros, plus gros, le plus gros

Le bison est le plus gros animal terrestre d'Amérique du Nord. Un bison ayant atteint sa taille adulte mesure entre 1,5 et 2 mètres au garrot, c'est-à-dire environ la même taille qu'un homme. Contrairement à celui-ci, en revanche, il pèse entre 635 et 1000 kilogrammes, soit le poids de 10 hommes. La femelle est légèrement plus petite.

Une fourrure épaisse et hirsute

La tête, la bosse et les membres antérieurs du bison sont couverts d'une fourrure épaisse et hirsute, couleur chocolat. En fait, cette fourrure est formée de deux épaisseurs. Celle la plus près du corps de l'animal est épaisse et retient l'air chaud que diffuse le corps du bison. La couche externe se compose de poils protecteurs qui sont étanches.

Au printemps, le bison se prépare à affronter l'été: il perd sa fourrure hivernale. Il faut environ deux mois pour que son nouveau manteau, plus léger, apparaisse.

La croupe et les membres postérieurs du bison sont couverts d'une fourrure à poils plus courts et raides, de couleur brun cuivré.

Lequel des deux a la tête la plus dure?

La vue, l'odorat et l'ouïe

Pour surprendre un bison, il faut une bonne dose d'intelligence ou . . . de chance. Ses grands yeux marron clair peuvent repérer quelque chose qui bouge à 750 mètres. Son large museau aplati arrive à flairer une odeur se dégageant à 1,5 kilomètre. Et ses deux oreilles rondes et poilues entendent des brindilles craquer à 150 mètres de distance.

Le bison d'Amérique possède des sens très aiguisés. Ceci est particulièrement important pour lui car il doit pouvoir sentir très rapidement un danger s'il veut échapper à ses ennemis. Dans les plaines, en effet, le bison n'a aucun endroit où se cacher. Sa seule ressource est de se battre ou de s'enfuir à la course.

Tous les bisons ont un long bouc en broussaille.

De l'utilité d'avoir des cornes

Chez les bisons, le mâle et la femelle sont dotés de cornes. Ils s'en servent pour se défendre contre leurs ennemis ou pour lutter entre eux.

Les cornes du bison sont très pointues et très longues. Celles d'un mâle adulte peuvent mesurer jusqu'à 38 centimètres. Pour les aiguiser et les polir, le bison les frotte contre les arbres. Et s'il n'y a pas d'arbres aux alentours, il les gratte contre tout ce qui émerge du sol: un rocher, un buisson ou un jeune arbre. En hiver, même un tas de saletés ou de neige font son affaire.

Un massage relaxant . . .

Le bison ne frotte pas seulement ses cornes. Sa tête, ses épaules et ses flancs ont aussi droit à des séances de «massage». Certains jours, en particulier au printemps et en été lorsque sa fourrure hivernale est tombée, il est pris d'une frénésie de massage. On ne s'en étonne pas lorsqu'on sait que c'est la période de l'année où les insectes piquent le plus. En se frottant, le bison empêche ces derniers de le piquer et de pondre des œufs sur son dos.

Quelquefois, il arrive même au bison de se rouler par terre pour se gratter le dos. De la poussière vole alors partout. Un trou en forme de bol se forme. Ces trous, que l'on appelle trous de poussière, mesurent parfois 4,5 mètres de diamètre.

De plus, c'est en se vautrant ainsi par terre que le bison se débarrasse de tout lambeau de fourrure. Aujourd'hui, les scientifiques pensent que c'est peut-être aussi la façon dont le bison se détend.

Un bison dans un trou de boue.

La queue du bison parle

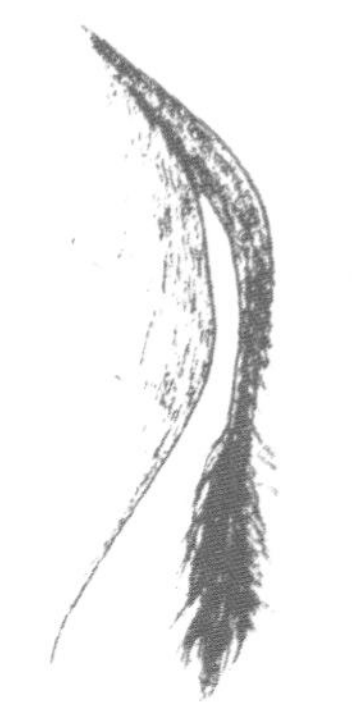

Au repos

En état d'alerte

Le bout de la queue

À l'extrémité de sa queue, le bison a une touffe de longs poils qui fait un parfait tue-mouches. Lorsque la queue du bison cingle l'air, mouches et autres insectes n'arrivent pas à lui piquer la croupe ou à y déposer des œufs.

Si vous voulez savoir à quoi pense un bison, observez donc sa queue. Si celle-ci pend, le bison est calme. Si, au contraire, il la dresse, attention: le bison est énervé et il pourrait même charger.

Aussi bien sur terre que dans l'eau

Ne vous y trompez pas. En dépit de son énorme corps massif, le bison court sur une distance pas très longue à la même vitesse qu'une voiture en ville. Le bison se distingue aussi en natation. Il aime l'eau et nage «à la chien», seules sa tête et sa bosse émergeant à la surface.

Le bison a tout ce qu'il faut pour escalader sans peine des pentes rocheuses: ses sabots aiguisés et ses robustes pattes.

En déplacement

On crut pendant longtemps que le bison paissait au printemps et en été dans le nord des plaines et qu'il partait ensuite dans le sud, aussi loin que le Texas, dans des endroits où il trouvait de la nourriture en hiver.

Aujourd'hui, on sait qu'à la période de migration, le bison parcourt rarement plus de 320 kilomètres. Les bisons qui, en été, se nourrissent dans les plaines se rendent dans des régions boisées en hiver. Ceux qui passent l'été dans la montagne descendent dans la vallée. Ils s'abritent dans les bois et sont protégés contre les pires tourmentes pendant l'hiver.

Le bison vit en moyenne 25 ans.

On déjeune ensemble?

De quoi se nourrit le bison? Surtout de céréales sauvages, avoine, orge et blé, et de chiendent. Il mange aussi des lichens, des vesces, des bleuets et d'autres plantes herbacées.

Les bisons commencent à brouter tôt le matin et continuent jusqu'au crépuscule. Ils paissent en harde, se déplaçant le museau collé au sol et arrachant au passage de délicieuses gerbes d'herbes.

Le bison ne perd pas son temps à mastiquer sa nourriture sur-le-champ. Que non! Il emmagasine tout ce qu'il broute, tel quel, dans une des poches de son estomac. Lorsqu'il est repu, il cherche un endroit à l'abri du soleil ou du vent glacial, selon la saison. Là, il fait remonter dans sa bouche tout ce qu'il a avalé et mastique sa nourriture tout à loisir. Certains bisons mastiquent debout tandis que d'autres préfèrent s'allonger. Quelle que soit la position choisie, ils mastiquent, mastiquent, mastiquent . . .

Page ci-contre:

L'heure du repas.

Un museau chasse-neige

En hiver, les plantes herbacées dont se nourrit le bison sont enfouies sous la neige. Est-ce à dire que l'animal va mourir de faim? Pas du tout car la nature l'a doté d'un museau large et aplati dont il se sert comme d'un chasse-neige pour enlever la neige et mettre au jour les herbes. Le bison enfonce son museau dans la neige, remuant de temps à autre la tête d'un côté à l'autre pour déblayer la neige. Le museau du bison donne d'excellents résultats puisqu'il peut dégager un tas de neige ayant plus d'un mètre de profondeur.

En hiver, son épaisse fourrure tient chaud au bison.

Chez eux dans les plaines

À une époque, on comptait 60 millions de bisons en Amérique du Nord. En fait, il y en avait tant que s'ils s'étaient mis en rang deux par deux et qu'ils avaient défilé à la cadence d'une paire par minute, la parade aurait duré presque 60 ans. Tous vivaient dans les plaines du centre de l'Amérique du Nord. Au nord, on en rencontrait jusqu'au lac de l'Esclave (Territoires du Nord-Ouest) et au sud, jusqu'au Mexique.

Dès la fin du XIXe siècle, ces vastes troupeaux de bisons avaient été décimés. Dans toute l'Amérique du Nord, il ne restait que quelques centaines de bisons. Que s'était-il donc passé?

Il y a de la bonne nourriture à foison ici.

Pendant des siècles, les Indiens des Plaines chassèrent le bison. Ils se servaient de lances et tuaient par conséquent relativement peu de bisons. Ils faisaient usage de toutes les parties du corps de l'animal. Avec les peaux, ils confectionnaient des tentes et des vêtements; avec les cornes et les os, ils fabriquaient des outils. Quant à la chair, ils la mangeaient.

Cependant, dès que les colons européens arrivèrent en Amérique du Nord, la situation se détériora rapidement. Ils apportèrent avec eux des armes à feu, ce qui facilita outre mesure la chasse au bison. Il ne fallut pas longtemps pour que les bisons soient décimés.

Le retour du bison

Dès le début de ce siècle, on prit conscience de l'urgence qu'il y avait à arrêter la chasse au bison si l'on voulait sauver les quelques centaines de bêtes qui avaient échappé au massacre. On créa donc des parcs nationaux

L'après-midi, le bison fait souvent la sieste.

où la chasse au bison était interdite. Petit à petit, le nombre de bisons augmenta. Aujourd'hui, environ 50 000 bisons peuplent les parcs nationaux situés dans les prairies de l'Ouest américain.

La liste des ennemis

Avant que les colons n'arrivent en Amérique du Nord, les principaux ennemis du bison étaient l'ours grizzli, le couguar et le loup. Ces animaux constituaient un sérieux danger pour les jeunes et les vieux bisons, ainsi que pour ceux qui étaient malades. Ces prédateurs s'attaquaient rarement aux bisons adultes en bonne santé, en connaissance de cause. Pour assurer sa défense, le bison est doté en effet de larges sabots et de cornes pointues. En outre, la force d'un bison adulte arrivé à sa pleine maturité est telle que l'animal peut traverser à la course une palissade ou même renverser une voiture.

Page ci-contre:
En hiver, pour trouver de quoi se nourrir, le bison doit souvent déblayer la neige avec sa tête et ses sabots.

Plus on est de fous, plus on rit

Seul, le bison est malheureux. C'est ce qui explique le côté sociable de son caractère. Il aime vivre et se déplacer en groupe. De plus, il comprend sûrement qu'il est plus en sécurité dans la harde que seul. L'ennemi, un loup par exemple, attaquera plus facilement un bison solitaire que tout un troupeau. Les bisons voyagent donc en général en petits groupes, chacun comptant environ 20 têtes. Quelquefois, plusieurs groupes de bisons se réunissent. Ils forment alors une harde, laquelle peut être formée de 1000 bisons.

Dans le groupe, le bison se comporte en général comme ses congénères. Ainsi, si un bison se réveille à l'aube et se met à brouter, tous les autres bisons, peu de temps après, l'imitent. Et lorsqu'un bison s'allonge pour ruminer, le reste du troupeau en fait autant. Au bout d'un petit moment, la harde entière mastique.

Stampede

Quelquefois, quand il entend un bruit bizarre, le bison prend peur. Si ceci se produit, l'animal, énervé, s'éloignera peut-être en courant. Peu de temps après, tous les autres bisons de la harde courront aussi en rond. Cette folie passagère s'appelle un *stampede*.

Un stampede peut être extrêmement dangereux. Souvent, les bisons qui se trouvent en tête n'arrivent pas à s'arrêter ou à éviter un obstacle. S'ils trébuchent ou tombent, les autres bisons les écrasent. Les Indiens faisaient démarrer exprès un stampede et obligeaient les bisons à sauter en bas d'un précipice. Ils pouvaient ainsi attraper beaucoup de bisons en une seule fois.

La saison des amours

Les bisons s'accouplent à la fin de l'été et au début de l'automne. Les mâles, par petits groupes, rejoignent alors une vaste harde de femelles.

Dès qu'il a trouvé une compagne, le mâle, en général, beugle dans l'espoir de faire peur à tout rival. L'imprudent qui décide de faire fi de cette mise en garde sonore se fait le plus souvent attaquer. Voilà ce qui se passe alors: les deux bisons foncent l'un sur l'autre et se heurtent avec force. Souvent, le choc est si violent que de la poussière s'échappe de leur fourrure. Heureusement, il est rare que les bisons se blessent car la crinière qui surmonte leur tête amortit le choc.

Quelquefois, les bisons s'attrapent par les cornes et font un match, se poussant d'avant en arrière. Le vainqueur du combat remporte en général la femelle.

Une femelle bison.

La naissance

Au début de l'été, quand la nourriture est abondante, la femelle met bas. Elle s'éloigne souvent de la harde à la recherche d'un endroit tranquille—généralement un bosquet—où elle aménage sa pouponnière. Là, elle donne naissance à un petit. Elle a quelquefois des jumeaux, mais c'est rare.

Le nouveau-né ressemble beaucoup au veau d'une vache, mais il est plus trapu et a un cou plus court. Ses yeux et ses oreilles sont ouverts et son corps est déjà couvert d'un fin pelage orange.

Moment de tendresse.

La mère et le petit

Dès que son petit naît, la mère le lèche méticuleusement. Dans les quelques minutes qui suivent, le nouveau-né tente de se mettre debout. Ses pattes, toutefois, sont encore faibles et chancelantes et le veau, en général, s'étale par terre. Le petit, cependant, essaie à nouveau et, au bout d'une demi-heure, il se tient tout seul sur ses pattes. Quelques heures plus tard, il gambadera, peut-être, autour de sa mère.

Les deux ou trois premiers jours de sa vie, le veau se tient auprès de sa mère, à l'écart de la harde, dormant et tétant. Lorsque la mère et son petit rejoignent le troupeau, ils ne s'éloignent jamais très loin l'un de l'autre. À deux semaines, le veau commence à jouer avec les autres veaux de la harde. Peu de temps après, il passe presque tout son temps en compagnie des jeunes bisons et ne rend visite à sa mère que de temps à autre pour téter.

C'est bien assez près!

De grands bébés

Bien que sa mère l'allaite jusqu'à ce qu'il ait sept mois, le veau commence à grignoter de l'herbe à l'âge d'une semaine. Comme il se nourrit abondamment et qu'il fait beaucoup d'exercice physique, le veau grandit rapidement.

À six semaines, le jeune bison a suffisamment de force pour renverser un homme d'âge mûr. Lorsqu'il a huit semaines, sa bosse et ses cornes commencent à pousser. Au début, les cornes ne sont que de légers renflements couverts de fourrure. Elles n'atteignent leur taille définitive que lorsque le bison a huit ans.

Dès que le veau a 10 semaines, les cris aigus qu'il poussait jusqu'alors se transforment en un grognement grave et profond et les poils de sa fourrure commencent à foncer. Quand le jeune bison atteint 14 semaines, son pelage est couleur chocolat foncé.

À cet âge-là, le jeune bison passe le plus clair de son temps avec les autres jeunes bisons et retrouve beaucoup moins souvent sa mère. En fait, on voit souvent les jeunes bisons jouer, paître ou dormir ensemble au milieu de la harde, les bisons adultes se tenant à l'extérieur.

Joyeux anniversaire

Lorsqu'il fête son premier anniversaire, le bison pèse 180 kilogrammes et ses cornes mesurent 17 centimètres. Le moment est venu de quitter sa mère. Un jeune bison mâle part retrouver un petit groupe d'autres mâles, une femelle se joint à la harde.

Sept ans plus tard, le bison est prêt à s'accoupler. À l'état sauvage, certains bisons vivent jusqu'à 40 ans mais la majorité atteint seulement 20 ans. Ils ont pendant ces années-là plusieurs familles, leurs enfants et petits-enfants devenant à leur tour membres de la harde.

Glossaire

Accoupler (s') Action de s'unir pour avoir des petits.

Allaiter Action d'une mère qui nourrit son petit avec son propre lait.

Harde Troupe de bêtes sauvages vivant ensemble.

Migration Déplacement saisonnier qu'accomplissent chaque année certains animaux pour trouver de la nourriture.

Paître Brouter de l'herbe.

Poils protecteurs Longs poils grossiers qui forment la couche externe du pelage du bison.

Prédateur Animal qui se nourrit de proies.

Ruminer Mâcher de nouveau des aliments qui sont remontés de l'estomac. Les cerfs, les vaches et les bisons sont des ruminants.

Trous de poussière Creux que le bison forme dans le sol en se roulant par terre.

Veau Petit du bison.

INDEX

bébé *Voir* veau
beugler, 38
Bison d'Amérique, 11
Bison d'Athabasca, 11
bosse, 8, 12, 20, 44
bouc, 12
buffle, 8

charger, 12, 33, 37, 38
combat, 16, 38
cornes, 8, 16, 30, 33, 38, 44, 46
côtes, 8
crinière, 38

danger, 15, 33
défense, 6, 15, 16, 33
dents, 8

ennemis, 33, 34
été, 19, 38

femelle, 11, 16, 38, 43, 44, 46
fourrure, 12, 19, 38, 44
frotter (se), 16, 19

harde, 7, 25, 29, 34, 38, 43, 46
hiver, 16, 22, 27

insectes, 19, 20

jeux, 7, 43, 46

longévité, 46

mâle, 11, 16, 38, 46
migration, 22
museau, 15, 25, 27

neige, 16, 27

oreilles, 15

parents, 8
pelage, 11
poils protecteurs, 12
population, 29, 33
pouponnière, 43
printemps, 19, 22

queue, 20
  ill. 20

régime alimentaire, 25, 27, 34, 44
répartition, 29, 33
ruminer, 8, 25, 34

sabots, 8, 33
saison des amours, 38
sens, 15
stampede, 37

taille, 11, 46
territoire, 5, 11, 22, 29, 34, 46
trous de poussière, 19

veau, 43, 44

yeux, 15

Couverture: J.D. Markou (Valan Photos)

Crédit des photographies: Brian Milne (First Light Associated Photographers), pages 4, 14, 23; J.D. Taylor (Miller Services), 7; Barry Ranford, 9, 45; Stephen J. Krasemann (Valan Photos), 10, 18, 24; Ron Watts (Miller Services), 12-13; Wayne Lankinen (Valan Photos), 17; Parcs Canada, 21; Tim Fitzharris (First Light Associated Photographers), 26, 42; Barry Griffiths (Network Stock Photo File), 28; Hälle Flygare (Valan Photos), 31; Thomas Kitchin (Valan Photos), 32; Dennis Schmidt (Valan Photos), 35; Harold Lambert (Miller Services), 36; Esther Schmidt (Valan Photos), 39; J.D. Markou (Valan Photos), 40.

Imprimé en Espag